社會篇
分享

✿ 米莉、茉莉和莉莉成長故事 ✿

一起去野餐

【紐西蘭】吉爾·皮特 / 著　【紐西蘭】克雷斯·莫雷爾 / 繪　葛冰 / 譯創

中 華 教 育

責任編輯　夏柏維
裝幀設計　龐雅美
排　版　龐雅美
印　務　劉漢舉

一起去野餐

【紐西蘭】吉爾·皮特 / 著　【紐西蘭】克雷斯·莫雷爾 / 繪　葛冰 / 譯創

出版｜中華教育

香港北角英皇道 499 號北角工業大廈 1 樓 B 室

電話：（852）2137 2338　傳真：（852）2713 8202

電子郵件：info@chunghwabook.com.hk

網址：http://www.chunghwabook.com.hk

發行｜香港聯合書刊物流有限公司

香港新界荃灣德士古道 220-248 號荃灣工業中心 16 樓

電話：（852）2150 2100　傳真：（852）2407 3062

電子郵件：info@suplogistics.com.hk

印刷｜美雅印刷製本有限公司

香港觀塘榮業街 6 號海濱工業大廈 4 字樓 A 室

版次｜2021 年 12 月第 1 版第 1 次印刷

©2021 中華教育

規格｜16 開（190mm x 140mm）

ISBN｜978-988-8760-11-4

怎樣學會與他人分享快樂

　　在去野餐的路上，米莉、茉莉和莉莉邀請每一個遇見的小夥伴一同前往。大家一起分享美食、分享遊戲、分享歡樂，夥伴們都感受到了成倍的快樂。

羅茜開着她的粉紅色小汽車過來了。
　　她對米莉、茉莉和莉莉大聲喊：「我要
去野餐。你們願意一起去嗎？」

「好呀！我們去。」米莉說。

「太好啦。我們當然要去。」茉莉和莉莉說。她們興高采烈地上了車。

　　沒走多遠，她們看見哈瑞。

　　米莉大聲喊：「我們要去野餐。你願意一起去嗎？」

　　茉莉和莉莉也大聲喊：「願意去就快上車吧！」

「好呀！好呀！」哈瑞大聲地喊着，他興高采烈地跑過來，上了車。

　　沒走多遠，汽車在十字路口停了下來。

　　米莉大聲喊：「我們要去野餐。你願意一起去嗎？」

　　茉莉和莉莉也大聲喊：「願意去就快上車吧！」

　　「好呀！好呀！」梅根大聲地喊着，她興高采烈地跑過來，上了車。

　　沒走多遠，汽車在火車道前停了下來。

　　米莉大聲喊：「我們要去野餐。你願意
一起去嗎？」

　　茉莉和莉莉也大聲喊：「願意去就快上
車吧！」

　　「好呀！好呀！」喬治大聲地喊着，他興高采烈地跑過來，上了車。

羅茜駕車離開高速公路，一直向東開去。

他們開着車經過田野。

經過森林和湖泊。

汽車開進山谷，在彎彎曲曲的山路上走。
汽車顛簸着，翻過一座又一座小山。

米莉說：「我好像餓了，肚子咕咕叫。」
茉莉和莉莉說：「我的肚子咕咕咕咕叫。」
　　大家一齊開心地說：「我們的肚子咕咕咕咕咕咕咕叫……」

　　車子停在了河邊，大家下了車，米莉
說：「這可是吃飯的好地方。」
　　大家一齊喊：「快鋪開野餐墊，我們要
開飯！」

　　野餐開始了。

　　莉莉說：「來吃我的，我媽媽準備了生煎包。」茉莉說：「聞起來真香啊！」

　　大家高興地叫：「讓我也嚐嚐，也來嚐嚐我的！」你讓我，我讓你，吃得真快活。

他們在河邊玩水。

米莉說：「一條小魚游過我的腳。」

茉莉說：「兩條小魚游過我的腳。」

莉莉說：「三條小魚游過我的腳。」

於是大家都來讓小魚游過自己的腳。

　　米莉說：「在樹上盪鞦韆真好玩。」

　　茉莉說：「盪鞦韆時，我會露出自己的小肚臍。」

　　莉莉說：「我可以像猴子一樣掛在樹上。」

　　大家都來盪鞦韆，玩得好開心。

到下午三點多，大家都有點累了，該
回家了。

嘀嘀嘀，粉紅色的小汽車在路上唱着歌。

郊區公路

大家一起快活地在車上唱着歌。

　　到家了，羅茜揮手告別：「下次野餐時，我們到西邊去！」

　　「好呀！好呀！」米莉、茉莉和莉莉大聲喊。

《一起去野餐》閱讀指導

1 回憶

回想故事裏的角色：米莉、茉莉、莉莉和羅茜以及她們的朋友。

2 提問

米莉、茉莉和莉莉邀請了幾個朋友一起去野餐？

朋友們在一起做了哪些事情？

你願意邀請朋友參加你的野餐或其他遊戲活動嗎？

3 理解

理解故事中包含的主題：分享（和別人共同享受歡樂、幸福、好處等）。

在去野餐的路上，米莉、茉莉和莉莉邀請遇見的三個小夥伴一同前往。大家一起分享美食、分享遊戲、分享歡樂，夥伴們都感受到了成倍的快樂。

4 訓練

寫：寫出你和夥伴們彼此分享過的遊戲、美食、玩具或其他事物，回憶當時是怎樣的心情。

說：和小夥伴輪流說一說自己經歷的趣事，把快樂分享給每個人。

做：在爸爸媽媽的幫助下，計劃一次出遊活動，邀請夥伴們一起參加。

創：和小夥伴們一起排演這個故事吧。或者按本冊主題新編一個故事，可以畫下來、寫下來，也可以講出來喲！